El retorno de Villarina

Un cuento de osos,
urogallos,
y humanos.

Ilustraciones de **mariapinta**

Hace 500 años, el oso pardo habitaba prácticamente en todas las montañas de la Península Ibérica y las de muchos países europeos.

A día de hoy, en España sobreviven dos poblaciones oseras. Una, con tan sólo 15 ejemplares habita en Pirineos, y la otra, con 140 individuos en la Cordillera Cantábrica. La población cantábrica se encuentra dividida en dos sub-núcleos; el núcleo occidental, con 110 individuos, y el oriental con 30 individuos, ambos separados por 30 kilómetros sin que exista intercambio genético.

Este crítico número de ejemplares ha hecho que el oso pardo se haya incluido en la Lista Roja de especies amenazadas con la categoría de 'en peligro de extinción'.

Durante décadas, distintos factores han tenido un impacto muy negativo sobre las poblaciones de oso pardo; furtivismo, alteración de su hábitat, presión derivada de actividades humanas, etc....y aunque actualmente son muchos los esfuerzos por preservar la especie que se vienen realizando desde distintas administraciones y asociaciones conservacionistas, queda todavía mucho camino por recorrer.

Desde hace 26 años el FAPAS mantiene un fuerte compromiso con la conservación del oso pardo realizando de forma ininterrumpida acciones prácticas en los territorios de montaña. Además de recorrer anualmente cerca de 3.000 kilómetros documentando la presencia de osos y detectando posibles amenazas vinculadas a su uso del territorio, el FAPAS ha plantado hasta la fecha 300.000 árboles frutales, ha instalado 800 colmenas y ha tenido un papel clave en la creación de una conciencia social en torno al plantígrado.

Recientemente su incansable tarea a favor de la conservación ha sido reconocida por el Ministerio de Medioambiente, Medio Rural y Marino de España con el 'Premio Nacional de Medioambiente'.

Carrefour, apoya activamente las labores de conservación del oso pardo en la Cordillera Cantábrica y colabora con el FAPAS en su proyecto de + Osos - CO2.

Mientras sigan apareciendo en nuestros montes osos mutilados, envenenados, atropellados o crías con síntomas de desnutrición seguiremos trabajando para asegurar que los ecosistemas donde habitan los osos cuentan con condiciones óptimas de refugio, alimentación y seguridad.

Salvaguardar la biodiversidad es tarea de todos y la historia que se relata en este cuento es prueba de ello.

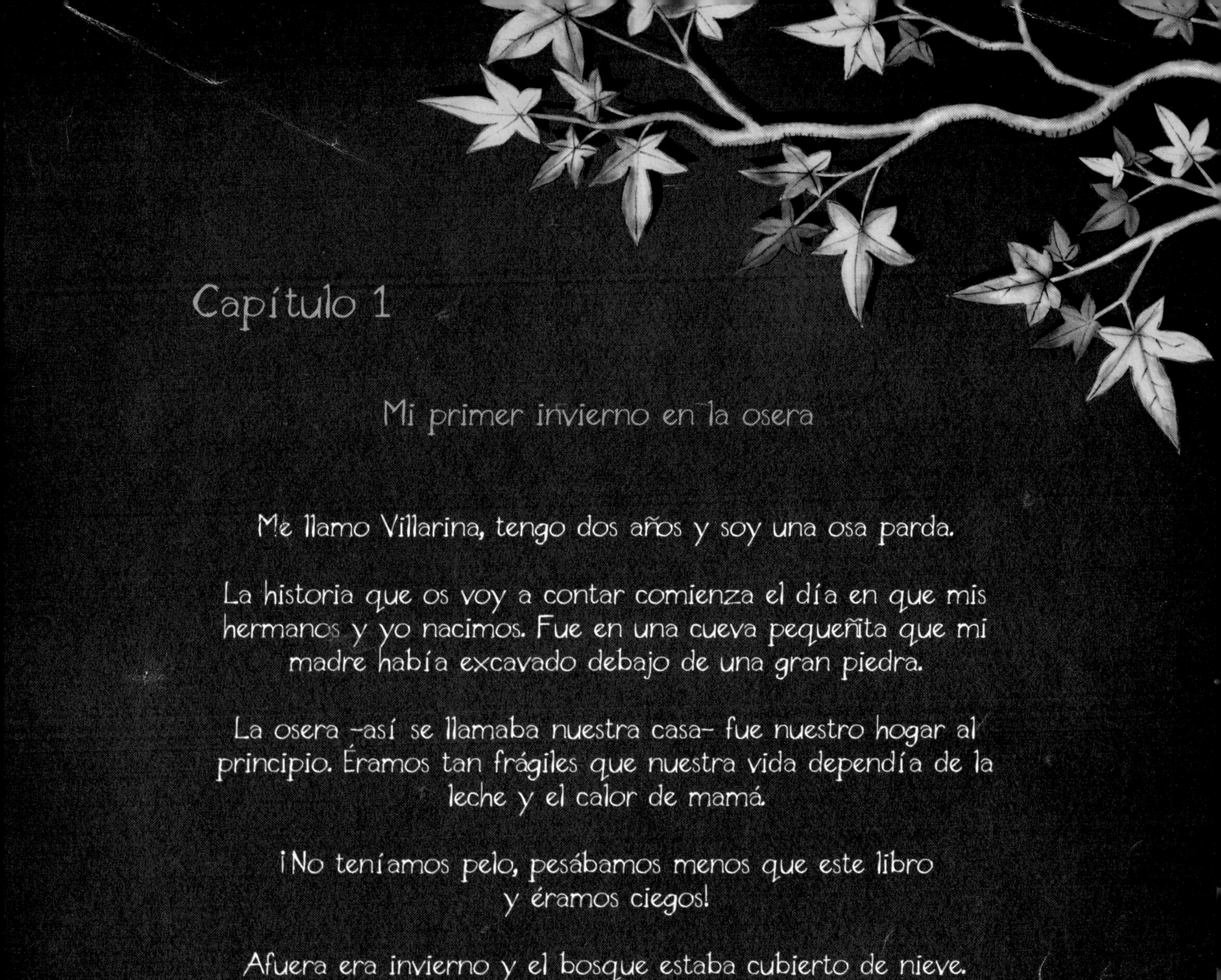

Capítulo 1

Mi primer invierno en la osera

Me llamo Villarina, tengo dos años y soy una osa parda.

La historia que os voy a contar comienza el día en que mis hermanos y yo nacimos. Fue en una cueva pequeñita que mi madre había excavado debajo de una gran piedra.

La osera -así se llamaba nuestra casa- fue nuestro hogar al principio. Éramos tan frágiles que nuestra vida dependía de la leche y el calor de mamá.

¡No teníamos pelo, pesábamos menos que este libro y éramos ciegos!

Afuera era invierno y el bosque estaba cubierto de nieve.

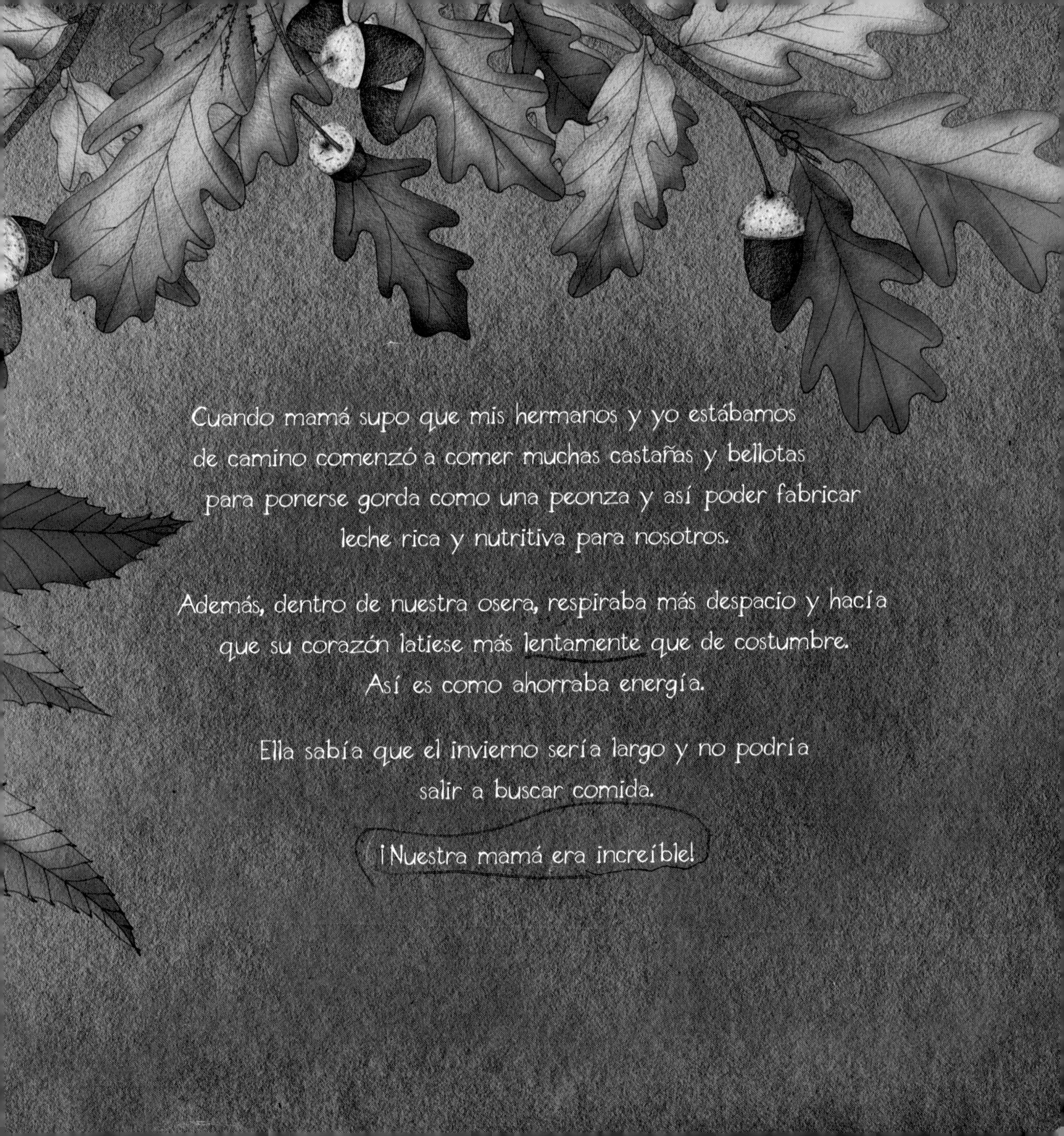

Cuando mamá supo que mis hermanos y yo estábamos de camino comenzó a comer muchas castañas y bellotas para ponerse gorda como una peonza y así poder fabricar leche rica y nutritiva para nosotros.

Además, dentro de nuestra osera, respiraba más despacio y hacía que su corazón latiese más lentamente que de costumbre. Así es como ahorraba energía.

Ella sabía que el invierno sería largo y no podría salir a buscar comida.

¡Nuestra mamá era increíble!

Un buen día, cuando ya llevábamos cuatro meses en la oscura cueva... ¡llegó la primavera! Los rayos del sol derritieron la nieve acumulada en la entrada de nuestra osera.

¡Por fin podríamos salir al exterior! Teníamos tantas ganas de saber qué era lo que nos esperaba afuera que mis hermanos y yo nos pusimos a correr y a saltar como locos.

– ¡Oseznos! ¡Trubio! ¡Urrielu! ¡Villarina!

Mamá nos estaba llamando, y como con nuestros gritos no podíamos oírla, tuvo que rugir con todas sus fuerzas para llamar nuestra atención.

- Ahora escuchadme con atención, oseznos. Esto que os voy a decir es muy importante si queréis sobrevivir en el bosque.
Entonces mamá nos dio los tres consejos que todo oso debe conocer:

1. Llenar el estómago siempre que se pueda.
2. Prestar atención a los peligros del bosque.
3. Mantenerse alejados de los hombres.

Mamá también nos dijo que cuando la bisabuela era pequeña había cientos de osos como nosotros en estas montañas.

¡Ahora sólo quedan 130! Eso es algo terrible.
Por eso tenemos que estar tan atentos a los peligros del bosque.

Capítulo 2

La gran despensa del bosque

Después de un invierno tan largo estábamos muertos de hambre.
Era el momento de aprender la lección más importante:
cómo llenar nuestras panzas.

Mamá nos enseñó los lugares donde buscar alimentos, cómo conseguirlos y todos los secretos que un oso pardo debe conocer para aprovecharnos de las maravillas que el bosque puede ofrecernos.

¡Nuestra mamá era la mejor!

Ella caminaba delante y nosotros jugábamos a poner nuestras patas sobre las huellas que dejaba en la nieve. Teníamos que dar saltos para alcanzar sus grandes zancadas. ¡Era muy divertido!

Mientras avanzábamos mamá nos explicó que algunas veces, durante el invierno, algunos animales que no hibernan como nosotros pueden morir de frío.

– El bosque es nuestra despensa, y la nieve funciona como una gran nevera –dijo mamá–. Seguramente encontremos bellotas y castañas del año pasado y, si mi olfato no me engaña... ¡Bingo, hay un animal enterrado en la nieve!

Era un corzo. El pobre se había roto la patita y no pudo sobrevivir al invierno. Algo tan triste era una suerte para nosotros: mis hermanos y yo pudimos comer y mamá recuperó toda la energía que había utilizado para alimentarnos durante el largo invierno.

Una vez tuvimos las panzas llenas mamá tapó los restos del animal con unas ramas y nos dijo:

– Si nos damos un atracón después nos dolerá la tripa. Mañana volveremos y comeremos más. Esperemos que para entonces los buitres o los lobos no se lo hayan zampado todo.

Seguimos descendiendo ladera abajo. Por el camino mamá nos demostró lo hábil que puede ser un oso cuando de buscar alimentos se trata: se agarró al tronco de un cerezo y lo agitó para que sus brillantes frutos rojos cayeran al suelo. Los tres oseznos nos abalanzamos locos de contentos sobre el manjar.

Es una suerte que los osos comamos tantos tipos de alimentos...

Pensaba yo en lo genial que es ser un oso cuando de repente...

¡CATAPLOF! ¡PLAF! ¡GROOOOOUM!

Un estruendo enorme. Nos asustamos mucho, porque aunque los osos no tenemos muy buena vista, nuestro oído es excelente.

Mamá nos empujó detrás de unos arbustos y nos dijo que debíamos permanecer callados.

¿Por qué, qué pasaba?

Miré de reojo hacia el lugar del ruido y vi a un oso pardo enorme y oscuro dándole zarpazos a una colmena. Sus garras eran tan grandes que varios trozos salieron disparados por el aire. Las abejas parecían enfadadas y zumbaban como locas a su alrededor.
¡Con lo que les había costado fabricar toda esa miel!

Mamá nos contó en voz baja que a los osos nos encanta la miel y las larvas de las abejas.

– Por eso nos llaman "osos golosos".

Mi hermano Trubio comenzó a salir de su escondite. Se le estaba haciendo la boca agua con esa miel tan rica (la verdad es que a mí también) y pensó que quizá al gran oso pardo no le importaría compartir un poco.

–¡No! –gritó mamá, agarrando a Trubio de una pata antes de que el enorme oso lo viera–. Ese oso está en celo, buscando osas con las que aparearse. Podría incluso atacar a un pequeño osezno como tú con tal de conseguir su objetivo.

Estuvimos observando al precioso oso hasta que se marchó Cuando acabó con la miel, fue a rascarse la tripa y la espalda contra el tronco de un roble. Mamá nos contó que con su olor avisaría a otros machos de que él ya había pasado por allí.

Capítulo 3

El día del accidente

Unos días después, la primavera ya había llenado el bosque de flores. Los pájaros cantaban sus mejores melodías tratando de encontrar novia entre las hembras de los alrededores. Mi familia y yo comíamos hierba en una pradera.

Por el prado revoloteaban montones de mariposas y, como me encantan sus colores tan vivos, me distraje persiguiendo a una de ellas.

Llegué a unas rocas, de entre cuyas grietas salían algunas ramas.

-¡Seguro que soy capaz de trepar como mamá!- me dije.

Hinqué las uñas de mis patas delanteras en la roca y empecé a trepar. Ya casi había llegado a lo más alto cuando ¡ZAS!, resbalé y me caí.

Perdí el conocimiento. Al despertar lo veía todo borroso y me costaba caminar en línea recta. No recordaba cómo llegar a la pradera donde se encontraba mi familia.
Estaba perdida.

De repente sentí que mis patas no me respondían. No podía moverme. Entonces me di cuenta de lo que pasaba. Aunque nunca antes había visto uno, supe que los dos que me estaban sujetando eran humanos.

Se trataba de unos turistas que estaban de excursión por el bosque. Habían visto que yo estaba herida y querían llevarme a un lugar donde pudieran curarme.

Pero eso lo supe después. En aquel momento estaba muerta de miedo, pero tan débil que me fue imposible defenderme.
Luego, me desmayé de nuevo.

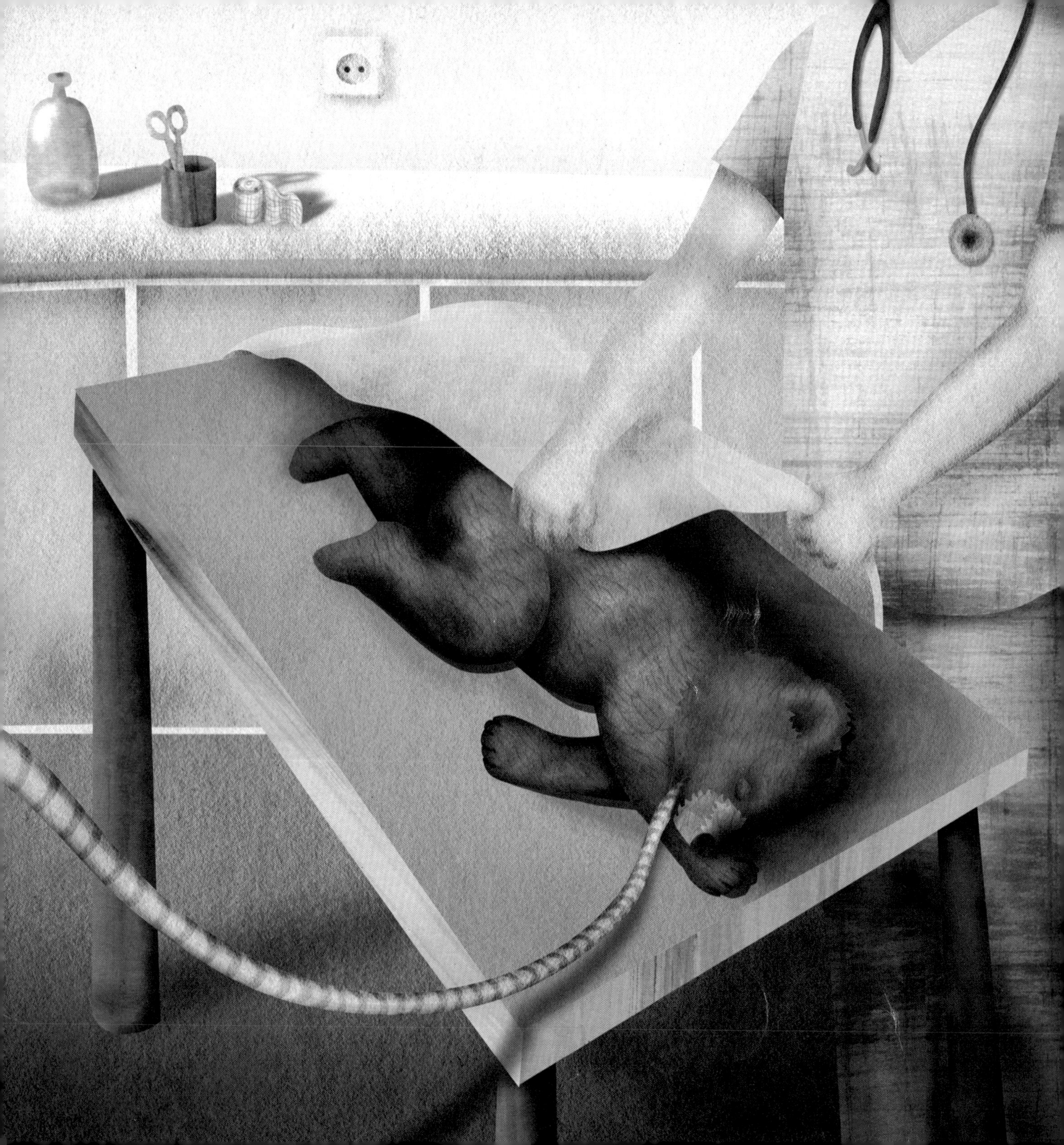

Capítulo 4

Mi recuperación entre urogallos

Cuando desperté me encontré rodeada por un montón de humanos que me miraban con cara de preocupación.

Hablaban entre ellos. Unos decían que era mejor devolverme al bosque y esperar a que mi mamá volviese a buscarme. ¡Eso era lo que yo más quería en el mundo!

Otros pensaban que si me dejaban en el bosque podría morir.

Me llevaron a un lugar donde unos señores llamados "veterinarios" me conectaron a unas máquinas que me ayudaban a respirar. Me daban de comer a través de un tubito, me tomaban la temperatura y me echaban gotas en los ojos para que recuperara la vista.

Fueron muy buenos conmigo.

Con tantos cuidados, pronto empecé a sentirme mejor. La prueba es que cada vez echaba más de menos corretear por los prados con mis hermanos. Por la noche cerraba los ojos y pensaba en mi familia. Tenía miedo de olvidarme de ellos y de todo lo que me había enseñado mi mamá sobre cómo sobrevivir en el bosque.

¡Fue maravilloso el día en que por fin pude levantarme de la cama y poner mis patas sobre la hierba del jardín!

–¿Qué hace aquí un bicho peludo como tú?– fue lo primero que escuché al salir de mi habitación.

Vi que un pájaro grande y negro con cejas rojas y pecho verde cobrizo me miraba presumido desde la rama de un árbol.

–Soy una osa –le dije– y estoy muy orgullosa de mi pelaje.

¿Y tú qué eres?

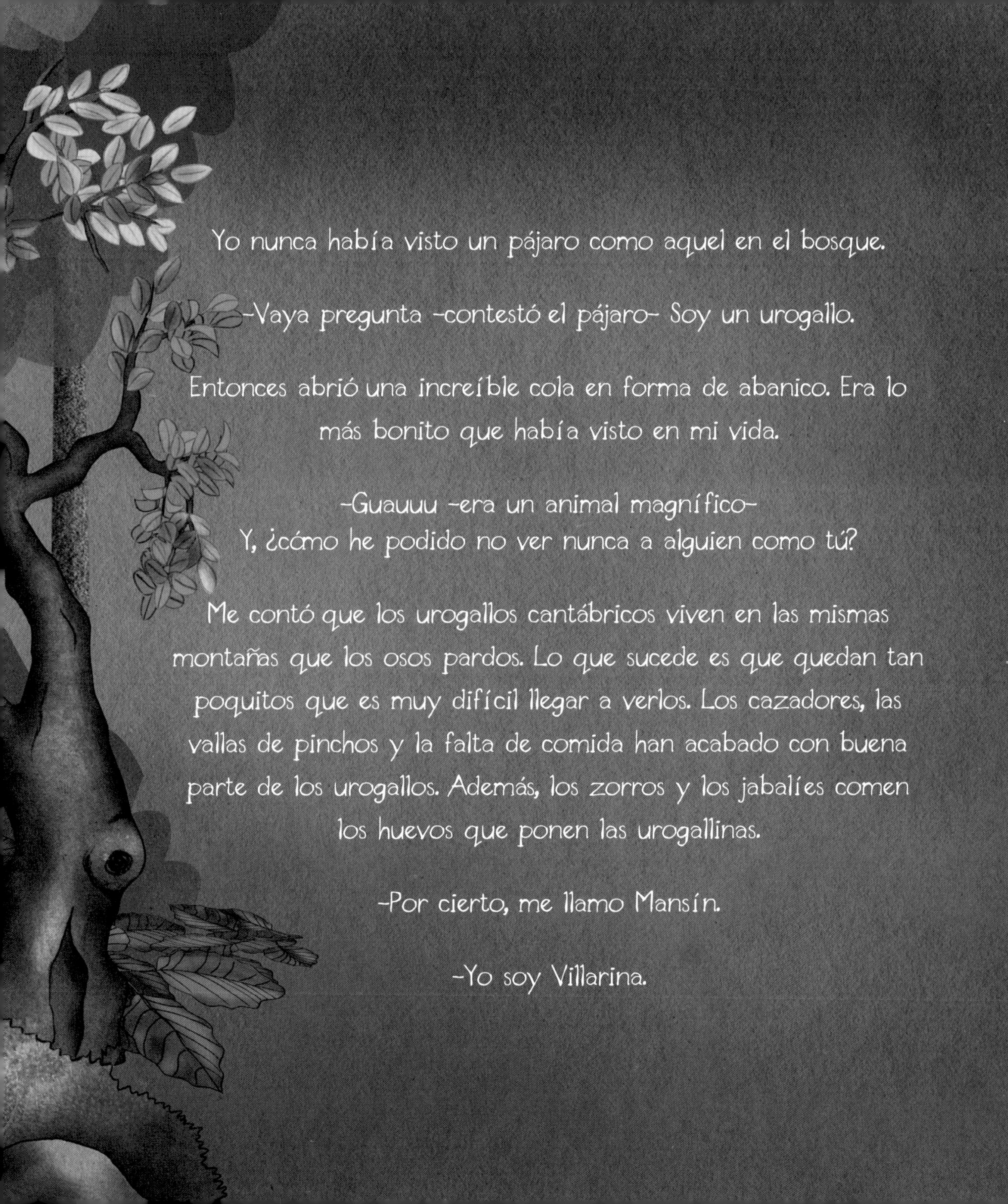

Yo nunca había visto un pájaro como aquel en el bosque.

–Vaya pregunta –contestó el pájaro– Soy un urogallo.

Entonces abrió una increíble cola en forma de abanico. Era lo más bonito que había visto en mi vida.

–Guauuu –era un animal magnífico–
Y, ¿cómo he podido no ver nunca a alguien como tú?

Me contó que los urogallos cantábricos viven en las mismas montañas que los osos pardos. Lo que sucede es que quedan tan poquitos que es muy difícil llegar a verlos. Los cazadores, las vallas de pinchos y la falta de comida han acabado con buena parte de los urogallos. Además, los zorros y los jabalíes comen los huevos que ponen las urogallinas.

–Por cierto, me llamo Mansín.

–Yo soy Villarina.

A pesar de sus plumas y de mi pelo, Mansín y yo nos hicimos amigos. Fue él quien me explicó que estábamos en un centro de recuperación de animales, donde personas expertas se encargan de cuidarnos.

–En este lugar –me contó Mansín– se incuban huevos de urogallo de forma artificial. Cuando nazcan los nuevos polluelos los soltarán en el bosque. Quizá así, algún día, consiga volver a tener una gran familia.

Unos meses después Mansín se marchó Era mi mejor amigo y lo echaría mucho de menos, pero también me puse contenta porque me dijeron que había vuelto al bosque.

–Lo primero que haré cuando salga de aquí –me había dicho Mansín– será llenarme la panza de arándanos hasta que no pueda más.

¡Qué ganas tenía yo de hacer lo mismo!

Capítulo 5

Mi liberación

Todos los días imaginaba a Mansín comiendo arándanos y cantando sus mejores canciones de rama en rama.

¡Era muy buen cantante!

También pensaba en mi familia, aunque reconozco que me daba miedo volver al bosque. ¿Sería capaz de recordar todos los consejos que me había dado mi mamá?

Y un buen día... ¡Llegó el momento!

Me pusieron un aparatito en la espalda para que los humanos que me cuidaban supieran dónde estaba y si me encontraba bien. Eso me hacía sentirme segura.

Me metieron en un coche y me llevaron de vuelta al bosque. Al llegar, no lo pensé dos veces: salí de la jaula y empecé a correr, loca de contenta.

Miré hacia atrás, hacia los hombres que me habían liberado y recordé uno de los consejos de mamá:

"Manteneos alejados de los hombres"

En realidad, los humanos no eran tan malos. Me habían curado y dado de comer, y ahora me habían devuelto a mis queridas montañas.

Durante los meses siguientes, a veces descubría a alguno de ellos observándome desde una roca o escondido tras un arbusto. Aún hoy los veo. No me molesta, porque sé que quieren aprender más sobre las costumbres de los osos para ayudarnos en lo que puedan.

Me preguntaba a menudo dónde estarían mamá y mis hermanos. ¿Volvería a verlos algún día?

Pero lo importante era prepararme para el invierno.

Un día mientras buscaba comida vino hasta mí un olor familiar. Acerqué mi hocico al suelo y caminé en la dirección que me indicaba mi olfato.

Cuando levanté la vista un enorme abanico me deslumbró

Yo ya había visto eso en alguna parte.

–¡Mansín!

Era mi gran amigo el urogallo. Estaba haciéndole una demostración de canto a una guapa urogallina con cara de enamorada.

–¡Villarina! –exclamó mi amigo– ¡Qué alegría! Mira, he encontrado una novia. ¿A que es guapa? Pero no es lo único que he encontrado en el bosque.

Mansín me dijo que lo siguiera y comenzamos a correr juntos. ¿Qué es lo que quería enseñarme?

Yo corría a toda velocidad tras mi amigo, hasta que de pronto él paró en seco. A lo lejos, tres osos venían corriendo hacia nosotros.

Recordé entonces el encuentro con el gran oso pardo y estuve a punto de darme la vuelta. Uno de los osos gritó mi nombre.

¡Era mamá con mis hermanos!

Fue el día más feliz de mi vida. Después de los besos y los abrazos y de responder a todas las preguntas de mis hermanos, mi mamá me dijo:

–Villarina, estoy orgullosa de ti. Has aprendido muchas cosas y has sobrevivido en el bosque. Llegarás a ser una osa adulta y responsable.

La alegría me hizo llorar. Yo también me sentí orgullosa.

Unos meses después mis hermanos y yo buscamos nuestras propias oseras en diferentes partes del bosque.

Mamá se enamoró de un guapo oso pardo y seguro que dentro de poco nos presenta a nuestros nuevos hermanos oseznos.

En cuanto a mí, podéis seguir mi historia a través de la página web de FAPAS, que es una asociación que desde hace muchos años trabaja para ayudar a osos como yo.

Gracias a ellos y a niños como vosotros, los osos pardos podremos seguir correteando por los bosques de la Cordillera Cantábrica.

FIN